D1435522

LES **MONSIEUR MADAME**
et la nuit de Noël

LES **MONSIEUR MADAME**

et la nuit de Noël

Roger Hargreaves

hachette
JEUNESSE

C'était la veille de Noël et, bien sûr,
tous les Monsieur Madame se préparaient
pour ce jour très spécial. Tous…
sauf monsieur Farfelu qui croyait que c'était
la veille de ses vacances d'été.

Tout le monde avait décoré son sapin…
sauf monsieur Méli-Mélo qui s'était décoré lui-même.

Tout le monde avait envoyé sa lettre au Père Noël…
sauf madame En Retard qui n'avait posté sa lettre
que le matin même.

Arriverait-elle à temps chez le Père Noël ?

Dans chaque maison, les Monsieur Madame étaient aux fourneaux.

Monsieur Glouton avait même préparé trois gâteaux.

Un pour le réveillon.

Un pour le jour de Noël.

Et un dernier… au cas où il aurait un petit creux entre les deux.

Dans chaque maison, les chaussettes avaient été
accrochées à la cheminée dans l'espoir
que le Père Noël arrive bientôt.

Cependant, monsieur Petit n'était pas persuadé
que la sienne serve à quelque chose.

Et dans chaque maison, de petites surprises avaient été emballées.

Les amis de madame Canaille n'allaient pas être déçus !

Partout, on chantait des airs de Noël.
Monsieur Bruit avait même provoqué la chute
d'une tuile à cause de quelques fausses notes !

Au pôle Nord, madame Noël avait emballé
des cadeaux du matin au soir.
La hotte était enfin pleine et le traîneau prêt à partir !

Le Père Noël et monsieur Noël prirent
une dernière tasse de thé,
dirent au revoir à madame Noël
et s'éloignèrent dans le ciel étoilé.
Mais allaient-ils s'arrêter chez madame En Retard ?

C'était la veille de Noël et le pays tout entier était plongé dans un grand silence…
Même madame Bavarde ne disait pas un mot.
Ils attendaient tous la visite du Père Noël avec impatience.

Monsieur Glouton, lui, était confortablement installé dans son lit et rêvait de pommes de terre dorées et de dinde rôtie.

Tout le monde dormait à poings fermés.
Tout le monde ?
Pas tout à fait.

Dans sa chambre, madame En Retard était très
inquiète : le Père Noël avait-il bien reçu sa lettre ?
Soudain, elle entendit des cloches tinter au loin.

Madame En Retard sauta de son lit et courut
à sa fenêtre juste à temps pour apercevoir un grand
traîneau tiré par huit rennes qui survolait son jardin.
Elle sut aussitôt que c'était le Père Noël !
Elle retint son souffle pour écouter.

Mais elle perdit bientôt le traîneau de vue
et le son des clochettes se fit de plus en plus faible…

… puis à nouveau de plus en plus fort à mesure que le Père Noël et monsieur Noël contournaient sa maison ! Enfin, il sembla à madame En retard que le traîneau s'arrêtait sur son toit.

Elle entendit le bruit des sabots des rennes, puis des pas lourds au-dessus de sa tête.

À cet instant, elle comprit que sa lettre était arrivée à temps !

Madame En Retard se précipita en bas dans son salon…

… juste au moment où le Père Noël et monsieur Noël
passaient par la cheminée.
Le Père Noël était tout de rouge vêtu. Il portait
un sac rempli de jouets sur son dos.
Il en sortit alors un petit paquet et le confia
à monsieur Noël.
– Voici un cadeau qui vous sera très utile pour l'année
prochaine, annonça-t-il en déposant le colis près du sapin.
Et en un clin d'œil, ils repartirent par le conduit
de cheminée.
Madame En Retard prit le cadeau que monsieur Noël
lui avait apporté et commença à l'ouvrir…
Tu devines peut-être ce que c'était ?

Eh oui ! Un calendrier de l'Avent !
Ainsi, madame En Retard ne sera plus jamais en retard
pour poster sa lettre au Père Noël…

RÉUNIS VITE LA COLLECTION ENTIÈRE

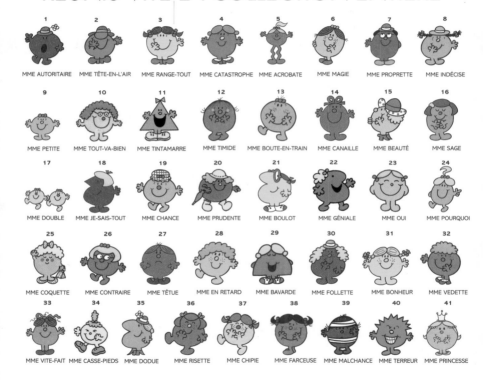

1 MME AUTORITAIRE
2 MME TÊTE-EN-L'AIR
3 MME RANGE-TOUT
4 MME CATASTROPHE
5 MME ACROBATE
6 MME MAGIE
7 MME PROPRETTE
8 MME INDÉCISE

9 MME PETITE
10 MME TOUT-VA-BIEN
11 MME TINTAMARRE
12 MME TIMIDE
13 MME BOUTE-EN-TRAIN
14 MME CANAILLE
15 MME BEAUTÉ
16 MME SAGE

17 MME DOUBLE
18 MME JE-SAIS-TOUT
19 MME CHANCE
20 MME PRUDENTE
21 MME BOULOT
22 MME GÉNIALE
23 MME OUI
24 MME POURQUOI

25 MME COQUETTE
26 MME CONTRAIRE
27 MME TÊTUE
28 MME EN RETARD
29 MME BAVARDE
30 MME FOLLETTE
31 MME BONHEUR
32 MME VEDETTE

33 MME VITE-FAIT
34 MME CASSE-PIEDS
35 MME DODUE
36 MME RISETTE
37 MME CHIPIE
38 MME FARCEUSE
39 MME MALCHANCE
40 MME TERREUR
41 MME PRINCESSE